习近平在亚太经合组织第二十九次领导人非正式会议上的讲话

人民出版社

图书在版编目(CIP)数据

习近平在亚太经合组织第二十九次领导人非正式会议上的讲话/习近平 著. —北京:人民出版社,2022.11
ISBN 978-7-01-025305-3

Ⅰ.①习… Ⅱ.①习… Ⅲ.①习近平-讲话②亚太地区-经济合作-学习参考资料 Ⅳ.①D2-0②F116

中国版本图书馆 CIP 数据核字(2022)第 227100 号

(RMC-ZJDXT-131-20221117)

习近平在亚太经合组织第二十九次领导人非正式会议上的讲话
XI JINPING ZAI YATAI JINGHE ZUZHI DI ERSHIJIU CI
LINGDAOREN FEI ZHENGSHI HUIYI SHANG DE JIANGHUA

习 近 平

人民出版社 出版发行
(100706 北京市东城区隆福寺街 99 号)

北京新华印刷有限公司印刷 新华书店经销

2022 年 11 月第 1 版 2022 年 11 月北京第 1 次印刷
开本:880 毫米×1230 毫米 1/32 印张:0.5
字数:8 千字

ISBN 978-7-01-025305-3 定价:2.00 元

邮购地址 100706 北京市东城区隆福寺街 99 号
人民东方图书销售中心 电话 (010)65250042 65289539

目　　录

坚守初心　共促发展
开启亚太合作新篇章

——在亚太经合组织工商领导人峰会上的书面演讲

（2022 年 11 月 17 日，曼谷）

中华人民共和国主席　习近平

各位工商界代表，

女士们，先生们，朋友们：

很高兴来到美丽的曼谷，参加亚太经合组织工商领导人峰会。

世界又一次站到十字路口。世界向何处去？亚太怎么办？我们必须给出答案。

21 世纪是亚太世纪。亚太地区占世界人口三分之一，占世界经济总量逾六成、贸易总量近一半，是全球经济最具活力的增长带。亚太成员经济发展过去取得了不凡成就，今后也一定能书写更壮丽的篇章。

当前，亚太地区局势总体稳定，区域合作不断取得进展，和平发展、合作共赢是主流。同时，世界进入新的动荡变革期，地缘政治紧张与经济格局演变叠加，冲击亚太地区发展环境和合作架构。新冠肺炎疫情反复延宕，世界经济下行压力增大、衰退风险上升，粮食、能源、债务多重危机同步显现，不少国家经济社会发展遇到较大困难，各种不稳定不确定因素增多，冷战思维、霸权主义、单边主义、保护主义上升，扭曲国际准则、打断经济联系、纵容地区冲突、阻碍发展合作的行为屡见不鲜，对亚太和平与发展构成严重挑战。

鉴往事，知来者。过去几十年，亚太经济合作为地区发展注入强大动力，有效提升了人民福祉。经验弥足珍贵，初心需要坚守。

——**我们要走和平发展之路**。亚太地区曾饱受冲突战乱之苦，成为大国争斗的竞技场、国际矛盾的聚集地。历史昭示我们，阵营对抗解决不了问题，偏见只会带来灾难。正是因为摆脱了冷战阴霾，亚太地区特别是中小经济体步入奔向现代化的快车道，“亚太奇迹”才应运而生。

亚太地区不是谁的后花园，不应该成为大国角斗场。任何搞“新冷战”的图谋，人民不会答应，时代不会允许！

——我们要走开放包容之路。开放包容是人类繁荣进步的基本条件。几十年来，亚太各经济体打破市场分割，拉紧经济纽带，积极拥抱世界，为经济发展开辟了广阔空间。亚太经合组织秉持开放的区域主义，坚持多样性、非歧视原则，构筑了包容普惠的地区合作架构。正是凭借这种胸襟和格局，亚太地区才得以抓住经济全球化机遇，在区域经济一体化方面走在时代前列。

开放带来进步，封闭必然落后。阻滞甚至拆解亚太地区长期形成的产业链供应链，只会使亚太经济合作走入“死胡同”。

——我们要走和衷共济之路。“亚太奇迹”是靠大家携手奋斗、爬坡过坎创造的。长期以来，亚太地区秉持大家庭精神，坚持同舟共济、共克时艰，化解各种风险，在世界经济大潮中破浪前行，在合作中形成共同体意识，成为实现不断发展的深厚根基。

当前，亚太经济进入疫后复苏的关键阶段。各经济体普遍面临供应链紊乱、粮食能源紧张、通胀压力加大等困难。我们要加强合作，互相支持，互相帮助，推动亚太经济走在世界经济复苏前列。

女士们、先生们、朋友们！

新形势下，我们要汲取历史经验和教训，因应时代挑战，坚定推进亚太区域经济一体化，共同开拓发展新局面，构建亚太命运共同体。

第一，筑牢和平发展的根基。我们要遵循联合国宪章的宗旨和原则，树立共同、综合、合作、可持续的安全观，共同反对冷战思维和阵营对抗，搭建亚太安全架构，为亚太经济发展和长治久安创造条件。

第二，坚持以人民为中心的发展理念。我们要注重在经济发展中保障民生，照顾弱势群体诉求，解决收入差距问题，培育包容性发展环境。亚太发达经济体要发挥正面作用，积极支持发展中经济体，构筑团结、平等、均衡、普惠的新伙伴关系。

第三，打造更高水平的开放格局。我们要深化亚太经合组织框架内合作，推进亚太自由贸易区进程，落实布特拉加亚愿景。要全面深入参与世贸组织改革，推动《区域全面经济伙伴关系协定》、《全面与进步跨太平洋伙伴关系协定》、《数字经济伙伴关系协定》相互衔接，构建开放型亚太经济。

第四，实现更高层次的互联互通。我们要以亚太经合组织互联互通蓝图为指引，有序推动硬件联接、软件对接、人员往来。中国将积极推进共建“一带一路”同各方发展战略对接，共同打造高质量亚太互联互通网络。

第五，打造稳定畅通的产业链供应链。我们要遵循经济规律，坚持市场原则，促进生产要素自由流动，维护货物服务生产和供应体系，打造便利、高效、安全的亚太产业链供应链。要共同反对单边主义、保护主义，反对将经贸关系政治化、武器化。

第六，推进经济优化升级。我们要顺应新一轮科技革命和产业变革，加速科技创新和制度创新，培育新经济、新业态、新商业模式，实现亚太经济数字化转型。要坚持绿色低碳发展，打造绿色产业和绿色金融，加快构建亚太绿色合作格局，让亚太地区经济发展走在世界前列。

女士们、先生们、朋友们！

中国的发展受益于亚太，也用自身发展回馈亚太、造福亚太。中国经济同亚太经济相互依存、深度融合，中国已经成为许多亚太经济体的主要贸易伙伴和地区产业链供应链重要节点。中国将坚定不移推动构建亚太命运共同体，为亚太稳定繁荣作出更多贡献。

前不久，中国共产党成功举行第二十次全国代表大会，对当前和今后一个时期国家发展作出总体规划和部署，强调要全面推进中国式现代化。

——迄今为止，世界上实现工业化的国家不超过30个，人口总数不超过10亿。中国14亿多人口实现现代化将是人类发展史上前所未有的大事。中国经济社会的更好发展，归根结底要激发14亿多人民的力量。我们将坚持以人民为中心，继续提高人民生活水平，使中等收入群体在未来15年超过8亿，推动超大规模市场不断发展。

——中国古人说："治国之道，富民为始。"中国已经打赢脱贫攻坚战、全面建成小康社会，现在要继续推进全体人民共同富裕。我们的共同富裕，是要更好满足人民美好生活需要，逐步实现整体富裕、普遍富裕，坚持市场和政府相结合、效率和公平相统一，在做大蛋糕的同时分好蛋糕，打造橄榄型分配结构。我提出全球发展倡议，就是着眼于解决发展不平衡问题。中国正同100多个国家和国际组织推进倡议落实，推动落实今年全球发展高层对话会成果。中国愿加大对全球发展合作的资源投入，同各方一道构建全球发展共同体。

——我讲过，当高楼大厦在中国大地上遍地林立时，中华民族精神的大厦也应该巍然耸立。我们将不断提高人民物质生活和精神生活水平，做到家家仓廪实衣食足，又让人人知礼节明荣辱。我们主张平等、互鉴、对话、包容的文明观，世界各国弘扬和平、发展、公平、正义、民主、自由的全人类共同价值，以文明交流超越文明隔阂，以文明互鉴超越文明冲突，以文明共存超越文明优越，为世界文明朝着平衡、积极、向善的方向发展提供助力。

——中国式现代化必须走人与自然和谐共生的新路。这是对我们自己负责，也是对世界负责。近年来，我们坚持绿水青山就是金山银山的理念，促进经济社会发展全面绿色转型，努力建设天蓝、地绿、水清的美丽中国。

中国确定了力争 2030 年前实现碳达峰、2060 年前实现碳中和的目标，这是我们对国际社会的庄严承诺。10 年来，中国是全球能耗强度降低最快的国家之一，超额完成到 2020 年碳排放强度下降 40%至 45%的目标，累计减少排放二氧化碳 58 亿吨。中国已建成全球规模最大的碳市场和清洁发电体系。希望各方加强合作，在绿色低碳转型的道路上坚定走下去，共同构建人与自然生命共同体。

——中国人民最希望看到的是和平稳定。走和平发展道路是根据中国人民根本利益作出的战略抉择。我们坚定站在历史正确的一边，高举和平、发展、合作、共赢旗帜，在坚定维护世界和平与发展中谋求自身发展，又以自身发展更好维护世界和平与发展。

女士们、先生们、朋友们！

长期以来，亚太工商界是推动地区经济增长的重要力量。有人说，企业家既是短期的悲观主义者，又是长期的乐观主义者。如果没有居安思危意识，企业不可能办好；如果没有对长期趋势的积极预期，企业也不会发展壮大。希望工商界朋友发挥企业家精神，积极促进经济合作，积极参与中国改革开放和现代化建设，为亚太和世界发展繁荣贡献正能量。

谢谢大家。

团结合作勇担责任
构建亚太命运共同体

——在亚太经合组织第二十九次领导人非正式会议上的讲话

（2022年11月18日，曼谷）

中华人民共和国主席　习近平

尊敬的巴育总理，

各位同事：

很高兴同大家相聚在美丽的“天使之城”曼谷。这是新冠肺炎疫情发生以来我们首次在线下聚首。我谨对泰国政府特别是巴育总理为筹备本次会议作出的努力，表示衷心的感谢！

当前，新冠肺炎疫情反复延宕，世界经济复苏面临各种挑战，单边主义、保护主义上升，全球产业链供应链受到冲击，通货膨胀、粮食、能源安全等问题复杂严峻。

亚太是我们安身立命之所，也是全球经济增长动力之源。过去几十年，亚太区域经济合作蓬勃发展，创造了举世瞩目的“亚太奇迹”，亚太合作早已深入人心。

现在，世界又一次站在历史的十字路口，亚太地位更加重要、作用更加突出。

中国古人说：“知者不惑，仁者不忧，勇者不惧。”新形势下，我们要携手构建亚太命运共同体，再创亚太合作新辉煌。这里，我愿提出几点建议。

第一，维护国际公平正义，建设和平稳定的亚太。亚太过去几十年经济快速增长，得益于和平稳定的环境。一个重要启示就是相互尊重、团结合作，遇到事情大家商量着办，寻求最大公约数。我们应该坚持共同、综合、合作、可持续的安全观，尊重各国主权、领土完整，不干涉别国内政，尊重各国人民自主选择的发展道路和社会制度，重视各国合理安全关切，通过对话协商以和平方式解决国家间的分歧和争端。我们要积极参与全球治理，推动国际秩序朝着更加公正合理的方向发展，为亚太和世界和平稳定提供保障。

第二，坚持开放包容，建设共同富裕的亚太。历史反复证明，开放包容、合作共赢才是人间正道。我们要坚持开放的区域主义，加强宏观经济政策协调，构建更加紧密的区域产业链供应链，推进贸易和投资自由化便利化，稳步推进区域经济一体化进程，早日建成高水平的亚太自由贸易区。我们要坚持发展为了人民、发展依靠人民、发展成果由人民共享，促进亚太全体人民共同富裕。中方愿同有关各方全面高质量实施《区域全面经济伙伴关系协定》，将继续推进加入《全面与进步跨太平洋伙伴关系协定》和《数字经济伙伴关系协定》，促进区域融合发展。明年，中方将考虑举办第三届“一带一路”国际合作高峰论坛，为亚太和全球发展繁荣注入新动力。

第三，坚持绿色低碳发展，建设清洁美丽的亚太。保护生态环境、应对气候变化是全人类面临的共同挑战。我们要加强经济技术合作，加速数字化绿色化协同发展，推进能源资源、产业结构、消费结构转型升级，推动经济社会绿色发展。今年，我们共同制定了生物循环绿色经济曼谷目标，协同推进生态环境保护和经济发展。中方将为落实曼谷目标提供支持。我去年在联合国提出全球发展倡议，在减贫、粮食、能源、卫生等领域加强务实合作，加快落实联合国 2030 年可持续发展议程，欢迎亚太国家积极参与。

第四，坚持命运与共，建设守望相助的亚太。我们要以战略和长远眼光看待亚太合作，维护亚太经合组织在区域合作中的主渠道地位，维护亚太合作正确方向。要秉持亚太经合组织的宗旨原则，不断深化互信、包容、合作、共赢的亚太伙伴关系。要发扬大家庭精神，同舟共济、守望相助，朝着构建亚太命运共同体不断迈进！

各位同事！

上个月，中国共产党第二十次全国代表大会成功举行，为当前和今后一个时期中国发展指明了方向、规划了蓝图。中国愿同所有国家在相互尊重、平等互利的基础上和平共处、共同发展。中国将坚持实施更大范围、更宽领域、更深层次对外开放，坚持走中国式现代化道路，建设更高水平开放型经济新体制，继续同世界特别是亚太分享中国发展的机遇。

泰国有句谚语："撒什么种子结什么果。"我们已经共同播下布特拉加亚愿景的种子，应该精心栽培、共同呵护，培育亚太共同发展的繁荣之花！

谢谢大家。